Titel der französischen Ausgabe:
L'imagerie de la nature
ISBN 3-89717-360-3
Printed in Italy

Dein buntes Wörterbuch der Natur

Text und Idee:
Emilie Beaumont
Marie-Renée Pimont

Illustrationen:
Vivienne Bray, N. Le Guillouzic,
F. Guiraud

Aus dem Französischen von
Stefanie Gabriel und Susanne Kaufmann

FLEURUS VERLAG

Inhaltsverzeichnis

DIE TIERE

DAS KLEINE FOHLEN WIRD ERWACHSEN

Das ist ein wichtiges Ereignis im Pferdestall: Ein Fohlen ist gerade geboren worden. Schau, es kann schon alleine stehen ...

Damit ein Fohlen entsteht, müssen sich Hengst und Stute paaren.

Das Fohlen wächst zehn Monate lang im Bauch der Mutter heran.

Die Stute wirft. So nennt man es, wenn ein Fohlen geboren wird.
Es kommt mit den Beinen voran auf die Welt.

Die Stute leckt das Fohlen sauber, das sofort versucht aufzustehen.
Gleich wird es anfangen zu trinken.

DAS KÜKEN SCHLÜPFT

Die Henne legt gleich ein Ei. Aber dieses Ei wird nicht gegessen!
Im Innern wartet eine Überraschung ...

Auf dem Hühnerhof leben Hahn und Henne zusammen.

Die Henne legt das Ei in ein Nest aus Stroh.

Sie bebrütet das Ei, damit es schön warm bleibt.

Das Küken zerbricht die Schale und schlüpft aus.

EIN BLICK IN DAS EI

Nach und nach füllt das Küken das gesamte Ei aus.
Ein Küken ernährt sich vom Eigelb.

Schon nach einer Woche kann man das Kükenembryo sehen.

Nach zwei Wochen ist es schon weit ausgebildet.

Nach drei Wochen ist es so weit: Das Küken schlüpft ...

Ist es nicht süß? Gleich wird es Körner picken!

EIN KÄNGURU-JUNGES WIRD GEBOREN

Bei seiner Geburt ist das Junge winzig. Aber seine Mutter hält es lange in ihrem Beutel warm, wo es geborgen heranwächst.

Mama und Papa Känguru paaren sich.

Einen Monat später lehnt sich das Weibchen an einen Baum.

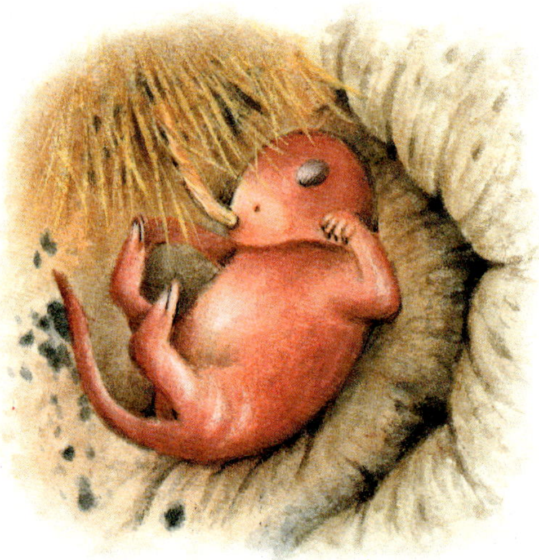

Sie presst. Das Junge gelangt in den Beutel, wo es sofort trinkt.

Sechs Monate lang bleibt das Junge im Beutel seiner Mutter.

VON DER KAULQUAPPE ZUM FROSCH

Geheimnisvolle Dinge geschehen im Teich! Alles beginnt mit einem Froschpaar ...

Das Weibchen legt unzählige Eier.

Kleine Kaulquappen schlüpfen.

Mit dem Schwanz bewegen sie sich fort.

Ihnen wachsen Hinterbeine mit Schwimmhäuten.

Der Schwanz wird kürzer, die Vorderbeine wachsen.

Es ist ein Frosch entstanden, der das Wasser verlassen kann.

VON DER RAUPE ZUM SCHMETTERLING

Weißt du, dass aus einer Raupe ein Schmetterling wird?

Weibchen und Männchen paaren sich.

Sie legt die Eier auf einem Blatt ab.

Die Raupe schlüpft. Sofort frisst sie.

Sie spinnt sich in einen Kokon ein.

Nach dem Schlüpfen sind die Flügel noch gefaltet.

Der Schmetterling reinigt sich und fliegt davon.

WIE KOMMEN SCHNECKEN AUF DIE WELT?

Schnecken sind anders als andere Tiere: Jede einzelne Schnecke ist männlich und weiblich zugleich. Daher kann jede Eier legen.

Die Schnecke macht sich auf die Suche nach einem Partner.

Bei der Paarung befruchten sich die Schnecken gegenseitig.

Aus einer Öffnung hinter den Fühlern legt die Schnecke die Eier ab.

Direkt nach dem Schlüpfen ist das Haus der Babyschnecken noch durchsichtig.

NOCH MEHR TIERE, DIE EIER LEGEN ...

In der Tierwelt schlüpfen die Jungen aus den unterschiedlichsten Eiern: aus kleinen oder großen, aus weichen oder harten.

Bei den Pinguinen brütet das Männchen.

Die Ameisenkönigin legt täglich Eier.

Fische legen tausende von Eiern.

Das Babykrokodil durchstößt die Schale mit einem kleinen Zahn.

Die Schale der Schlangeneier ist zwar weich, aber auch robust.

JEDER HAT SEIN EIGENES NEST

Viele Tiere bauen Nester, meistens um darin ihre Jungen großzuziehen.

Die Schwalbe nimmt Erde und Stroh zum Nestbau.

Die Waldmaus baut ihr Nest aus Gräsern.

Die Wespe zerkaut kleine Holzstücke für ihren Nestbau.

Der Buchfink benutzt zum Bauen dünne Zweige und Moos.

Der Stichling macht sein Nest aus Grashalmen. Er ist der einzige Fisch, der ein Nest baut.

SELTSAME TIERE!

Diese merkwürdigen Tiere sind dir bestimmt noch nicht begegnet. Sie leben in fernen Ländern oder auf dem Meeresgrund.

Der Leguan ist eine Riesenechse und lebt auf den Galapagosinseln.

Das Gürteltier hat harte Krallen und einen geschuppten Panzer.

Der Ameisenbär fängt die Beute mit seiner klebrigen Zunge.

Das Schnabeltier ist ein guter Schwimmer.

Siehst du, wo die Augen des Hammerhaies sitzen?

Wenn der Tintenfisch Angst hat, spritzt er Tinte ins Wasser.

Der Uakari ist ein fast kahler Affe mit scharlachrotem Gesicht.

Der Moloch wird auch Dornteufel genannt.

EIN SPINNENNETZ ENTSTEHT

Aus dem Bauch der Spinne tritt eine Flüssigkeit aus, die an der Luft hart wird: Das ist der Faden, mit dem das Netz gewebt wird.

Zuerst spannt die Spinne aus dem Faden einen Rahmen.

Dann webt sie nach einem genauen Plan die Strahlen.

Von der Mitte aus baut sie mit klebrigem Faden eine Spirale.

Eine Fliege sitzt in der Falle. Gleich wird die Spinne sie fressen.

AMEISEN BEI DER ARBEIT

Pausenlos sind die Ameisen auf Nahrungssuche.
Im Winter aber schlafen sie in ihrem Bau.

Ameisen können das Vielfache ihres eigenen Gewichts tragen.

Ist die Beute zu schwer, machen sie sich gemeinsam ans Werk.

Die Ameisen halten sich Blattläuse, um sie zu „melken".

Im Ameisenbau wird die Nahrung gut aufbewahrt.

EIN GESCHICKTER BAUMEISTER

Der Biber baut einen Damm und staut damit das Wasser.
So schützt er seinen Bau vor der Strömung.

Mit kräftigen Schneidezähnen durchnagt er einen Baumstamm.

Er verbindet die Holzstücke mit Schlamm zu einem Damm.

Der Eingang des Baus ist unter Wasser gut versteckt. Die Kammer liegt im Trockenen. Sie ist mit Gras und Spänen gepolstert.

BIENEN BEI DER ARBEIT

Alle Bienen im Bienenstock haben ihre eigene Beschäftigung. Wenn sie älter werden, übernehmen sie immer schwierigere Aufgaben.

Diese Biene sammelt eine süße Flüssigkeit, den Blütennektar.

Die Arbeiterinnen scheiden Wachs aus und bauen daraus Waben.

In jede Wabe legt die Königin ein Ei, aus dem eine Larve schlüpft.

Die Amme füttert die Larve, bis diese eine Biene wird.

PSST, SIE SCHLAFEN ...

Je nachdem, wo die Tiere leben, haben sie verschiedene Tricks, um möglichst gut zu schlafen.

Der Koala klammert sich beim Schlafen fest an den Baum.

Die Makaken schmiegen sich aneinander.

Der Papageifisch spinnt sich einen Kokon aus Schleim, der ihn schützt.

Der Hamster schläft tief und fest in seinem Bau.

Die Gorillamutter schläft im Sitzen und hält ihr Junges im Arm.

Die Giraffe kann sogar im Stehen schlafen.

Die Fledermaus schläft mit dem Kopf nach unten!

Die Löwen schlafen gut im Gras versteckt.

DIESE TIERE KÖNNEN SEHR ALT WERDEN

Manche Tiere können sehr lange leben, wenn sie nicht krank werden und ihren Feinden entkommen.

Der Kakadu kann 70, eine Schildkröte mehr als 100 Jahre alt werden.

Bis zu 60 Jahre kann der Elefant erreichen.

Über 100 Jahre lang kann der Stör leben.

Schimpansen werden manchmal 50 Jahre alt.

EIN SEHR KURZES LEBEN!

Diese Tiere hier leben nicht sehr lange. Manche von ihnen brauchen zuvor Monate, um sich zu entwickeln, so z. B. die Eintagsfliege.

Die Spitzmaus lebt nur 1 Jahr.

Auch das Seepferdchen wird nur 1 Jahr alt.

Die Eintagsfliege lebt nur 1 oder 2 Tage.

Der Schmetterling lebt weniger als 1 Jahr, die Fliege weniger als 1 Monat.

JEDER NACH SEINEM GESCHMACK!

Früchte, Insekten oder kleine Tierchen - jedes Tier ernährt sich auf seine eigene Weise.

Die jungen Vögel werden von der Mutter mit Insekten gefüttert.

Manche Schlangen erwürgen ihre Beute, bevor sie sie verschlingen.

Mit kräftigen Zähnen knackt das Eichhörnchen die harten Nuss-schalen.

Der Waschbär wäscht seine Nahrung, bevor er sie frisst. Er mag Frösche und Fische.

Die Giraffe pflückt die zarten Blätter, die hoch oben auf den Bäumen wachsen.

Der Schimpanse liebt Früchte, Blätter und Ameisen.

Löwen jagen Zebras, Büffel und Antilopen.

Das Nashorn grast in der Savanne.

REKORDHALTER!

Vergleiche die Zahlen hier zum Beispiel mit der Geschwindigkeit eines Autos oder der Höhe eines Baumes.

Der Wanderfalke erreicht im Sturzflug bis zu 280 km/h.

Mit Leichtigkeit läuft der Strauß 45 km/h.

Das Känguru kann mehr als 10 Meter weit springen.

Der Hase schafft Sprünge von mehr als 7 Metern.

Der Puma kann auf einen Ast springen, der 4,50 Meter hoch ist.

Über 5 Meter kann der Delfin aus dem Wasser springen.

Der Gibbon kann sich auf bis zu 8 Meter entfernte Äste schwingen.

Innerhalb von 2 Sekunden erreicht der Gepard 70 km/h.

UNTERIRDISCHE WEGE

Unter der Erde herrscht eine Welt für sich. Von Zeit zu Zeit kommt eine kleine Schnauze ans Tageslicht, um Luft zu schnappen.

Der Maulwurf lebt fast blind in einem Bau unter der Erde. Kleine Hügel an der Erdoberfläche verraten den Ort des Baus.

Die Wühlmaus gräbt unterirdische Gänge und nagt an den Wurzeln der Pflanzen. Im Bau lagert sie ihre Vorräte für den Winter.

ES WIMMELT IM ERDREICH!

Viele Tiere legen unterirdische Gänge an. So gelangt frische Luft ins Erdreich, die die kleinen Lebewesen zum Atmen brauchen.

Der Regenwurm ernährt sich von Bakterien, Wurzeln und Pflanzen. Der Tausendfüßer lässt sich Schnecken schmecken.

TIERE DER KALTEN REGIONEN

Alle diese Tiere leben nahe an den Polen. Im Winter können sie die Kälte aushalten, weil sie ein dichtes Fell und eine dicke Fettschicht haben.

Der Pinguin ist ein Vogel, der nicht fliegt, sondern schwimmt.

Der Wolf hat einen dichten Pelz. Er jagt nachts.

Das Walross besitzt zwei lange Stoßzähne.

Geschützt durch eine dicke Haut kann die Robbe auf dem Eis liegen.

Das Fell des Eisbären hält die Kälte ab.

Das Rentier sucht im Schnee nach Moos.

Der Pelz des Polarfuchses ist im Winter weiß, im Sommer grau.

Der Lemming, kaum größer als eine Ratte, lebt am Nordpol.

TIERE DER HEISSEN REGIONEN

Sie leben in der Savanne, im Dschungel und an Wasserstellen, an denen sie sich erfrischen und ihren Durst stillen.

Der Löwe, der König der Tiere, ist groß und stark.

Trotz seines Gewichtes bewegt sich das Krokodil sehr schnell.

Das Nilpferd verbringt seine Tage im erfrischenden Wasser.

Das Nashorn hat schlechte Augen und ist reizbar.

Der Elefant badet, um sich von Ungeziefer zu befreien.

In der Savanne überragt die Giraffe alle.

Auf der Flucht ist die Gazelle pfeilschnell.

Der Schimpanse trinkt Wasser, das sich in Baumlöchern gesammelt hat.

BEINE, KOPF UND SCHWANZ WACHSEN NACH

Bei diesen Tieren wächst ein verlorenes Körperteil einfach wieder nach!

Verliert der Seestern einen Arm, bildet sich ein neuer.

Bei der Schnecke wachsen sogar die Fühler wieder nach!

Der Schwanz der Echse bildet sich wieder!

Die Beine der Spinne können nachwachsen!

DIE BÄUME

DER BAUM

Versuche die verschiedenen Teile zu zeigen: den Wipfel, die Wurzeln, den Stamm, die Zweige, das Laub und die Rinde.

WIE EINE EICHE ENTSTEHT

Aus den Früchten der Eiche, den Eicheln, wächst nach und nach ein neuer Baum. Schau dir die einzelnen Schritte genau an!

Die Eichel steckt zur Hälfte in der Erde. In ihrem Inneren sind zwei Keimblätter.

Im Frühling durchbricht ein Trieb die Schale und wächst in die Erde.

Bald ist ein Stängel zu sehen und kleine Blätter wachsen.

Zum Wachsen braucht die Eiche Sonne und Wasser.

DER BAUM LEBT

Alle Kinder essen und trinken, um zu wachsen. Ebenso der Baum: Mit Licht und Wasser stellt er einen Saft her, von dem er sich ernährt.

1 - Die Wurzeln ziehen Wasser aus dem Boden.

2 - Das Wasser steigt im Stamm nach oben.

3 - Das Wasser verteilt sich in den Ästen und Blättern.

4 - Mithilfe des Sonnenlichtes wird in den Blättern ein Saft hergestellt.

5 - Der Saft strömt nach unten. Er lässt die Blätter und den Baum wachsen.

Um zu wachsen braucht der Baum Sonne und Wasser.

Ein Teil des Saftes lagert als Vorrat in den Wurzeln. Auch im nächsten Jahr wachsen so Blätter.

Keine Angst, dieser kleine Baum bricht nicht ab! Sein Stamm wird dicker werden und die schützende Rinde wird sich bilden.

Die Holzschicht, die im Frühjahr entsteht, bildet einen hellen Ring, das Holz des Sommers einen dunklen. Um das Alter des Baumes zu bestimmen zählt man die dunklen Ringe.

VON DER KNOSPE ZUM BLATT

Im Winter sind die Knospen verborgen. Aber warte, im Frühling kommen sie zum Vorschein!

Die Knospen haben Schuppen, um sich vor Regen und Frost zu schützen.

Im Innern siehst du die zusammengefalteten Blätter, die durch eine Schicht vor Kälte geschützt sind.

Im Frühjahr steigt der Saft in die Knospen, die sich zu öffnen beginnen.

Die kleinen Blätter entfalten sich. Sie werden wachsen, die Knospen aber verschwinden.

DAS BLATT

Die Fläche des Blattes nennt man Blattspreite. Entfernt man sie vorsichtig, sind die Blattadern gut zu sehen!

1 - eine Blattader (ein Kanal, durch den der Saft fließt)

2 - die Blattrippe

3 - der Blattstiel

4 - die Blattspreite

DAS JAHR EINES KASTANIENBAUMES

Schau, was sich im Jahreslauf alles am und um den Kastanienbaum ändert!

Im Frühling sprießen Blätter und Blüten aus den Knospen.

Im Sommer bilden sich die Kastanien.

Im Herbst fallen die Blätter und die Kastanien vom Baum.

Im Winter ruht sich der Baum aus und wartet auf den Frühling.

SIE SIND DAS GANZE JAHR ÜBER GRÜN

Auch diese Bäume verlieren ihre Nadeln, aber nicht alle auf einmal. Ständig fallen welche ab und andere wachsen nach.

die Pinie

die Fichte

die Zeder

die Zypresse

LAUB- UND NADELBÄUME

Die Laubbäume verlieren im Herbst ihre Blätter. Aber es gibt auch Bäume, die grün bleiben. Weißt du, warum?

Die Blätter dieses Baumes geben viel Wasser ab, sie schwitzen. Würden die Blätter bleiben, würden sie alle Reserven aufbrauchen.

Diese Nadeln hier sind sehr klein und geben daher kaum Wasser ab.
So kann der Baum sie auch im Winter behalten.

SONNE UND SCHATTEN

Alle Lebewesen brauchen Licht. Was aber passiert, wenn ein Teil des Baumes kein Tageslicht bekommt?

Der Baum in der Mitte hat seine Blätter nur noch oben, wo das Licht hinkommt. Die anderen sind abgefallen. ▶

◀ Bäume am Waldrand haben nur auf der Seite Laub, die dem Licht zugewandt ist.

▼ Dieser Baum hier hat von allen Seiten ausreichend Licht: Das Laub kann sich in alle Richtungen entfalten.

WIE HEISST DER BAUM?

Um einen Baum zu erkennen musst du seine Früchte und seine Blätter betrachten. Die Bilder hier werden dir helfen.

Die EICHE: Ihre Frucht heißt Eichel, sie steckt in einer Art Kapsel.

die Rinde

die Eichel

das Eichenblatt

Der KASTANIENBAUM: Seine Früchte heißen Kastanien, sie stecken in einer stachligen Hülle.

die Rinde

die Kastanie

das Kastanienblatt

Die BUCHE: Ihre Früchte heißen Bucheckern. Sie dienen manchen Waldtieren als Nahrung.

die Rinde

die Buchecker

das Buchenblatt

Die TANNE: Ihre Frucht heißt Tannenzapfen. Die Tanne ist das ganze Jahr über grün.

die Rinde

der Tannenzapfen

die Tannennadeln

Die BIRKE: Ihre Früchte heißen Kätzchen. In ihnen befinden sich die Samenkörner.

das Birkenblatt

die Rinde

das Kätzchen

Die LINDE: Ihre Früchte sind erbsengroß. Man trocknet die Blüten und Blätter, um Tee zu machen.

die Rinde

die Frucht

das Lindenblatt

die Pappel

die Esche

die Weiß-
buche

die Trauerweide

die Platane

DIE HÖCHSTEN BÄUME

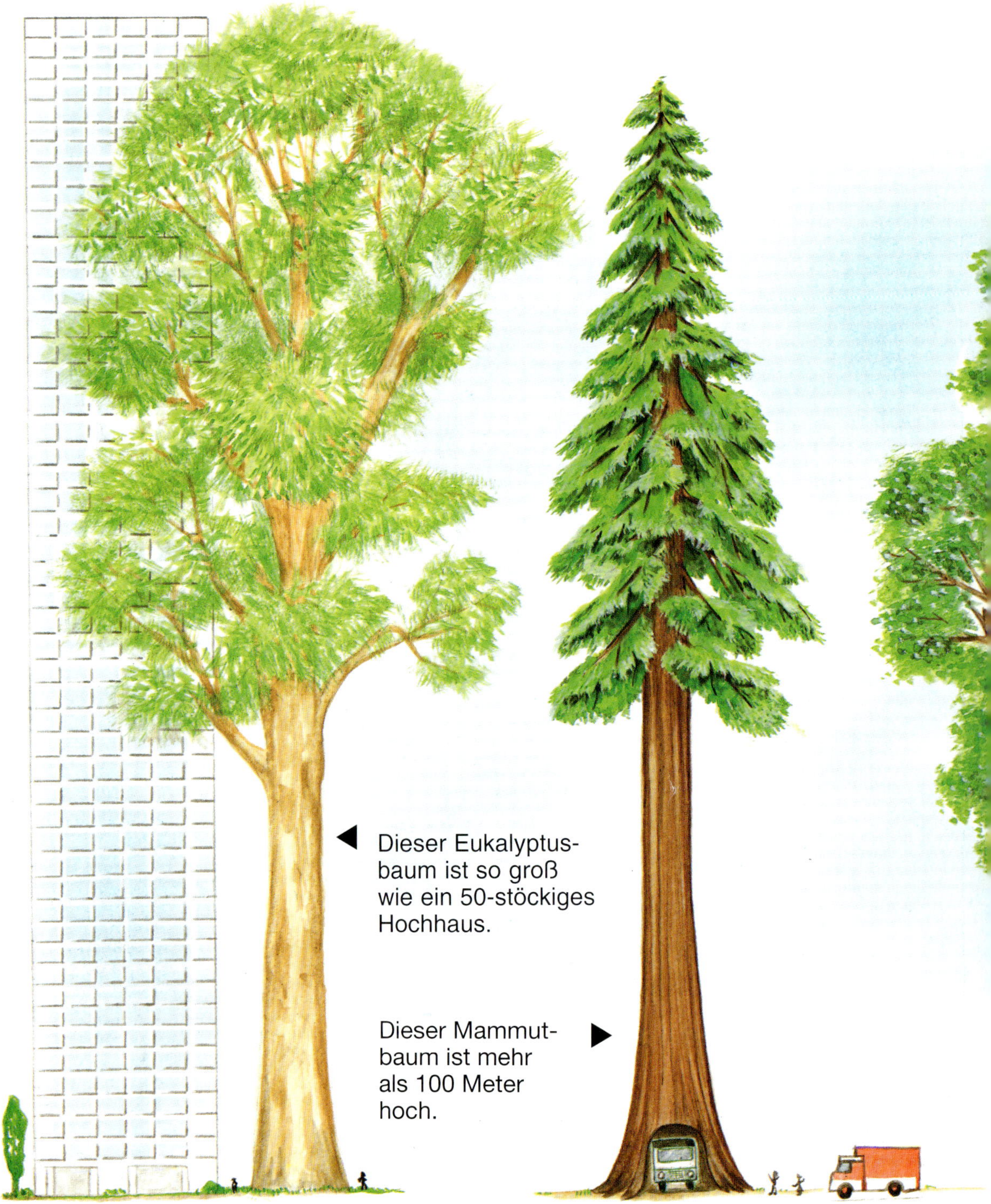

◀ Dieser Eukalyptusbaum ist so groß wie ein 50-stöckiges Hochhaus.

Dieser Mammutbaum ist mehr als 100 Meter hoch. ▶

DER GRÖSSTE BAUM

Um den Stamm dieses Affenbrotbaumes zu umfassen braucht man 20 Männer.

Ein Bonsai wird zurechtgeschnitten, damit er klein bleibt.

das Ginkoblatt

Ginkobäume gab es schon zur Zeit der Dinosaurier.

OBSTBÄUME

Diese Bäume lieben die Sonne. Sie wachsen in heißen Ländern.
Kennst du ihre Früchte?

der Feigenbaum

die Dattelpalme

der Olivenbaum

der Zitronenbaum

die Bananenstaude

die Kokospalme

Diese Bäume sieht man in Europa häufig.
Kennst du ihre Namen?

der Kirschbaum

der Apfelbaum

der Birnbaum

der Zwetschenbaum

der Pfirsichbaum

der Haselnussstrauch

WÄLDER IN GEFAHR!

Überall auf der Welt sind die Wälder gefährdet: durch Umweltverschmutzung, durch Waldbrände, durch Abholzungen ...

Fabriken stoßen giftige Dämpfe aus ...

... die mit dem sauren Regen in die Wälder gelangen.

In Trockenzeiten breiten sich Waldbrände sehr schnell aus.

Es dauert Jahre, diese Wälder wieder aufzuforsten.

DAS HOLZ

Die Holzfäller kennen die Waldbäume sehr genau. Sie wählen die aus, die der Schreiner gut verwenden kann.

Der mit einem Kreuz gekennzeichnete Baum wird gefällt.

Die Baumstämme werden zum Sägewerk gebracht.

Dort werden die Stämme in Bretter zersägt.

Der Schreiner fertigt aus den Brettern Möbel an.

WAS AUS HOLZ ENTSTEHEN KANN

Hier sind einige Dinge, die aus der Rinde oder aus dem Stamm gemacht werden. Du kennst bestimmt noch mehr. Schau dich um!

Papier wird aus Holzfasern hergestellt.

Spielzeug aus bemaltem Holz.

Diese Sachen sind aus Korkrinde.

Aus stabilen Brettern wurde dieses Boot gebaut.

WAS BÄUME BEWIRKEN

Bäume produzieren den für Mensch und Tier lebensnotwendigen Sauerstoff. Aber sie tun noch viel mehr!

Wasser verdunstet auf den Blättern, steigt auf und bildet Wolken, die Regen bringen.

Bäume bieten vielen Tieren Versteck und Schutz.

Sie schützen Häuser vor Wind und Wetter.

Die Tannen sollen Lawinen aufhalten.

DER LAUF DER JAHRESZEITEN

Schildere, was mit dem Baum im Laufe eines Jahres passiert! Ordne jedem großen Bild ein kleines zu und begründe deine Wahl!

WIR SCHÜTZEN DEN WALD

Wenn du den Wald schützen möchtest, musst du die folgenden Regeln beachten! Erkläre die Regeln auch deiner Familie und deinen Freunden.

Sammle nach einem Picknick die Abfälle ein. Lass sie nicht im Wald liegen!

Tritt nicht auf kleine Bäume, sie wollen zu großen Bäumen werden!

Dieser Weihnachtsbaum ist aus einer Baumschule. Die Tannen im Wald dürfen nicht gefällt werden!

Verletze nicht die Baumrinde, denn sie schützt den Stamm!

Ein Waldbrand entsteht schnell. Deshalb: kein offenes Feuer!

Lass kein Glas liegen. Es kann leicht einen Brand entfachen!

Auch weggeworfene Zigaretten können ein Feuer verursachen!

WIR PRESSEN HERBSTBLÄTTER

So werden Blätter gepresst,
mit denen du schöne Bilder gestalten kannst:

Nimm einen dicken Katalog mit vielen Seiten.

Lege die Blätter vorsichtig zwischen die Seiten.

Nimm schön geformte und saubere Blätter.

Beschwere dann den Katalog mit einem Stein.

Nach einer Woche sind die Blätter gepresst. Nun kannst du mit ihnen ein Bild kleben.

ERKENNUNGSSPIEL

Finde zu jeder Abbildung den richtigen Namen!
Welche Frucht gehört zu welchem Blatt?

EIN STRAUSS AUS BLÄTTERN

Das Herbstlaub hat tolle Farben. Sammle Blätter, um einen Strauß zu machen, der den ganzen Winter über hält!

Sammle Blätter mit ihren Stängeln.

Schlitze die Stängel unten an.

Gieße Wasser und Glyzerin in ein Gefäß.

Lass die Blätter zehn Tage lang in der Flüssigkeit stehen.

Nun sind die Blätter haltbar. Stelle sie in eine schöne Vase.

DIE BLUMEN
DIE PFLANZEN

KRONE, KELCH UND STEMPEL ...

Außergewöhnliche Namen beschreiben die verschiedenen Teile der Blume. Du lernst alle Begriffe auf dieser Seite kennen.

Die Blume:

1. Die Blumenkrone:
   So nennt man die Gesamtheit aller Blütenblätter.
2. Der Blütenkelch:
   Er besteht aus den Kelchblättern.
3. Der Stiel
4. Das Blatt
5. Die Wurzeln

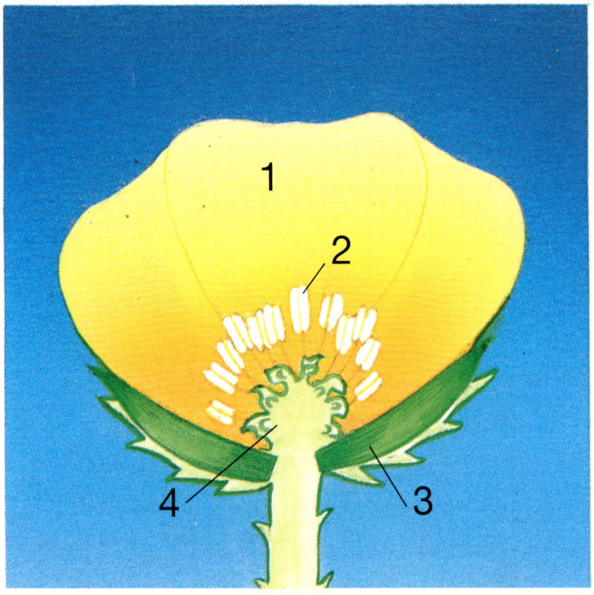

Die Blüte:

1. Die Blütenblätter:
   Sie schützen die Staubblätter.
2. Die Staubblätter:
   Hier wird der Pollen aufbewahrt.
3. Die Kelchblätter:
   Sie schützen den Stempel.
4. Der Stempel:
   Wenn der Pollen auf den Stempel gelangt, wird die Blume bestäubt. Dann entwickeln sich Samenkörner, aus denen neue Blumen wachsen können.

ZIEHE EINE HYAZINTHE!

Kaufe am Herbstanfang eine Hyazinthenzwiebel und halte dich an die folgende Anleitung. Im Winter hast du dann eine hübsche Blume.

Fülle ein Glasgefäß randvoll mit Wasser.

Lege die Zwiebel, Spitze nach oben, aufs Glas.

Stülpe einen Karton über das Glas.

Nach 3 Wochen sind erste Wurzeln zu sehen.

Stelle das Glas am Fenster auf.

Noch 3 Wochen und die Hyazinthe blüht!

DER LÖWENZAHN

Die Löwenzahnblüte besteht aus vielen kleinen Blüten. Aus jeder einzelnen entsteht ein Samenkorn.

Im Frühling erblüht der Löwenzahn.

Nach und nach umschließen die Kelchblätter die Blüte.

Gut geschützt bilden sich die Samenkörner am Blütenboden.

Aus jedem Korn wächst ein Stiel mit einem Federbüschel.

Diese Büschel trocknen an der Sonne und öffnen sich zu kleinen Schirmen. So bilden sie die weiße Krone, die du wegpusten kannst.

Die geöffneten Schirme funktionieren wie Fallschirme.

Die Samenkörner werden vom Wind weggeweht.

Sanft landet das Samenkorn. Vielleicht entsteht ein Keim ...

... aus dem wieder ein neuer Löwenzahn wachsen kann.

DAS LEBEN DER BLUMEN

Jede Blume hat ihren eigenen Rhythmus. Zu bestimmten Zeiten öffnet sie ihre Blütenblätter, duftet und schließt sich wieder.

Die Blume öffnet sich, um das Sonnenlicht aufzunehmen.

Nachts atmet sie verlangsamt mit geschlossener Blüte.

Die Ackerwinde öffnet sich am Morgen und schließt sich mittags.

Die Seerose hat ihre Blüten bis zum frühen Nachmittag geöffnet.

DER SPEICHER DER PFLANZEN

Um keimen und wachsen zu können holen die Pflanzen Nahrung aus ihren unterirdischen Speichern, wie z. B. den Zwiebeln und Wurzeln.

Die Tulpe hat eine große Zwiebel, die den Stängel schützt.

Aus dem Wurzelstock des Maiglöckchens wachsen jährlich neue Triebe.

Die Wurzeln der Dahlie bilden große Knollen.

Die tiefe Wurzel des Löwenzahns heißt Pfahlwurzel.

WALD- UND WIESENBLUMEN

Höre dir die Namen dieser Blumen genau an! Welche blüht wohl schon am Ende des Winters?

das Immergrün

das Maiglöckchen

das Heidekraut

das Hasenglöckchen

das Veilchen

der Klee

das Gänseblümchen

die Anemone

die Schlüsselblume

das Schneeglöckchen

der Hahnenfuß

die Wegwarte

FELDBLUMEN

Diese Blumen findest du auf Feldern. Am bekanntesten ist der Klatschmohn.

die Kornblume

der Klatschmohn

die Schafgarbe

die Kamille

die Taubnessel

die Luzerne

PFLANZEN AM WASSER

Oft ist die ganze Oberfläche eines Teiches mit Seerosen bedeckt. Schwertlilie, Binsen- und Schilfgewächse finden sich in Ufernähe.

die Seerose

die Schwertlilie

die Blumenbinse

der Rohrkolben

GARTENBLUMEN

Es gibt tausende verschiedener Blumenarten. Einige von ihnen pflanzen die Menschen an, um ihre Gärten zu verschönern:

1. Rosen
2. Rhododendron
3. Anemonen
4. Dahlien
5. Gladiolen
6. Narzissen
7. Lavendel
8. Nelken
9. Petunien
10. Klematis
11. Tulpen
12. Geranien
13. Stiefmütterchen
14. Hortensien
15. Lupinen
16. Margeriten
17. Lilien
18. Rittersporn
19. Maiglöckchen
20. Osterglocken
21. Astern

10
12
9
20
13
8
21
17
15
19
18
4
7
5
16
3
6

BLUMEN IN HECKEN UND STRÄUCHERN

Felder und Gärten sind oft von dichten Büschen umgeben, die den Wind abhalten. Ihre Blumen beginnen im Frühjahr zu blühen.

Winden, deren Blüten eine Trompetenform haben, und die gelblichen, stark duftenden Blüten des Geißblattes sieht man oft zusammen.

Von links nach rechts siehst du die Blüten folgender Pflanzen: Weißdorn, Mandelbaum, Heckenrose.

KAKTEEN UND LEBENDE STEINE

Diese Pflanzen sind dem Leben in der Wüste bestens angepasst. Sie können lange Trockenzeiten überstehen.

Diese drei stachligen Pflanzen sind Kakteen. In ihren dicken Trieben speichern sie das Wasser, das in der Regenzeit gefallen ist.

Diese Pflanze ist bestens an ihre steinige Umgebung angepasst.

Hier sieht man ihre Blüte. Daher ihr Name: lebender Stein.

DIE VENUSFLIEGENFALLE

Die Venusfliegenfalle ist eine Insekten fressende Pflanze. Sie ernährt sich von Insekten, da sie auf nährstoffarmem Boden wächst.

Am Blattende befinden sich Stacheln ...

... die beim Schließen ein Gitter bilden.

Die Pflanze verdaut langsam das gefangene Insekt.

10 Tage später ist nur noch die Insektenhülle übrig.

SCHMAROTZERPFLANZEN

Manche Pflanzen wachsen als Schmarotzer an Bäumen. Der Efeu z. B. nimmt dem Baum die Luft, die Mistel entzieht ihm seine Nährstoffe.

Die Wurzel der Mistel bohrt sich in den Baum.

Mit kräftigen Haftwurzeln wächst der Efeu am Baumstamm.

Moose und Flechten wachsen auf der Rinde bestimmter Bäume. Flechten findet man nur in Gebieten mit sauberer Luft.

ESSBARE PILZE

Die hier abgebildeten Pilze kann man essen, auch die Totentrompete, trotz ihres unheimlichen Namens.

Totentrompete

Pfifferling

Morchel

Steinpilz

Ritterling

Schirmpilz

GIFTIGE PILZE

Diese Pilze enthalten ein sehr gefährliches Gift. Man darf sie daher nicht pflücken und sollte sie noch nicht einmal anfassen!

Satanspilz

Fliegenpilz

Grüner Knollenblätterpilz

Frühlingsknollenblätterpilz

DIE PFLANZEN DES MEERES: DIE ALGEN

Im Meer gibt es Pflanzen ohne Wurzeln, die Algen genannt werden. Sie dienen vielen Fischen als Nahrung.

Algen gibt es in allen möglichen Farben und Formen.
Schau dir die drei Algenarten unten genau an und versuche sie oben im Bild wieder zu erkennen:

RICHTIG BLUMEN PFLÜCKEN

Um richtig Blumen zu pflücken solltest du diese Tipps beachten!
Seltene Blumen sind geschützt, du darfst sie nicht pflücken!

Sammle die Blumen zum Trocknen in einem Karton.

Stelle die Blumen für einen Strauß schnell ins Wasser.

Reiße beim Pflücken nie die Wurzeln mit aus.

Das Edelweiß ist eine seltene Blume. Lass es stehen!

FRAGESPIEL

Du hast nun viele Pflanzen kennen gelernt.
Hierzu ein kleines Spiel.

Weißt du die Antwort?

- Welche Schmarotzerpflanze entzieht dem Baum Nahrung?
- Welche Pflanze frisst Insekten?
- Welcher Pilz schmeckt gut?
- Welcher Pilz enthält ein gefährliches Gift?

GETROCKNETE BLUMEN SAMMELN

Lass dir von einem Erwachsenen helfen deine Blumensammlung mit Pflanzennamen und Datum zu beschriften.

Versuche viele verschiedene Blumenarten zu sammeln.

Lege jede Blume zwischen Zeitungspapier.

Lass einen großen Bücherstapel eine Woche lang darauf liegen.

Lege die getrocknete Pflanzen in ein Heft und klebe sie fest.

EIN MÄNNCHEN AUS BLÜTEN, GRAS UND SAND

Zeichne auf einen Karton die Umrisse eines Männchens. Fülle die Figur mit Blüten, Gräsern oder anderen Naturmaterialien aus.

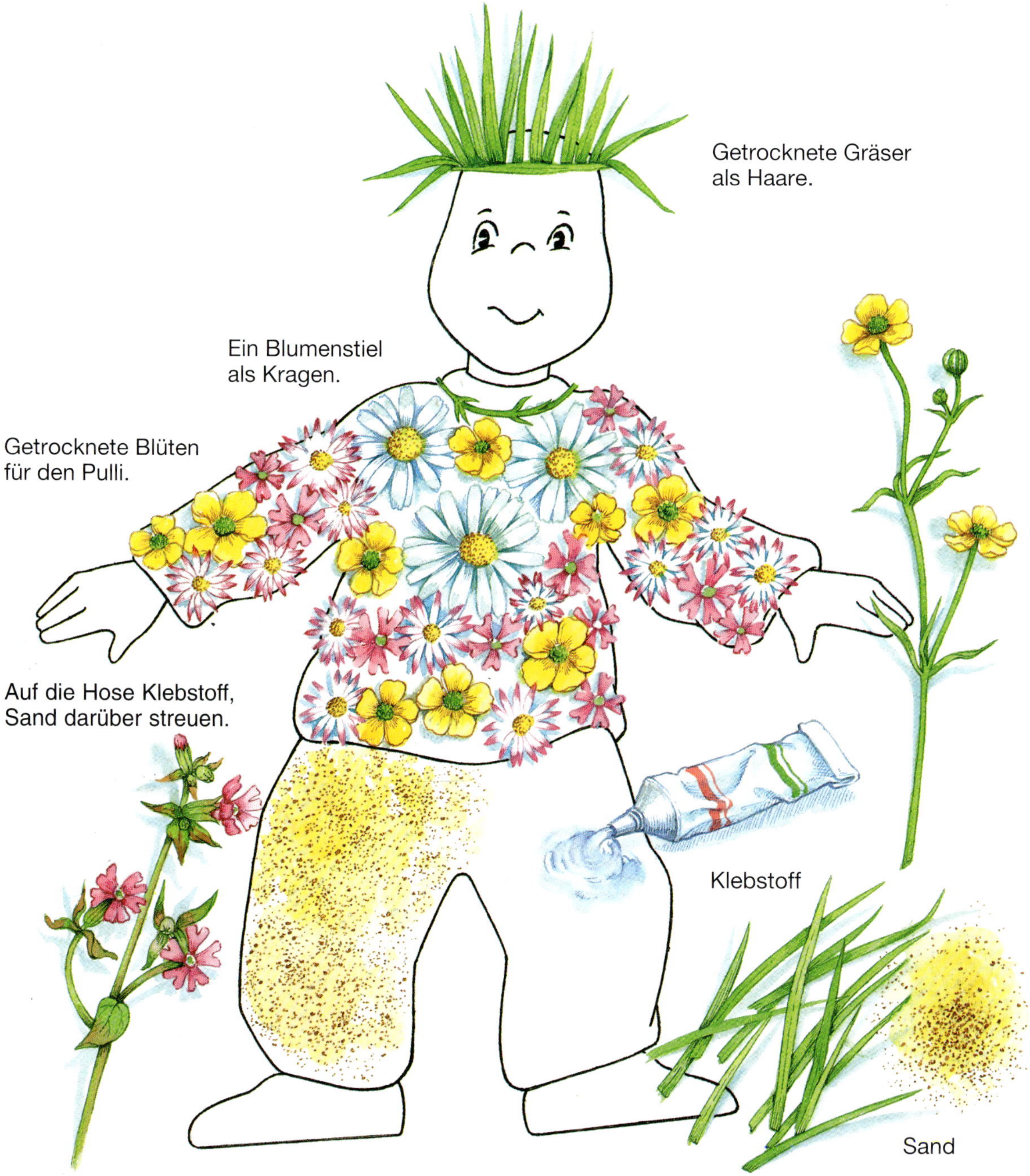

DAS WETTER

VOM WASSERTROPFEN ZUR WOLKE

Betrachte das Bild. Die Pfeile zeigen dir, woher die Wassertropfen, die zum Himmel aufsteigen, kommen.

PETER LÄSST WOLKEN ENTSTEHEN

Peter und sein Vater führen ein Experiment durch. Mit der Hilfe eines Erwachsenen kannst du es auch probieren!

Peters Vater erhitzt Wasser ...

... und füllt es in eine Glasschüssel.

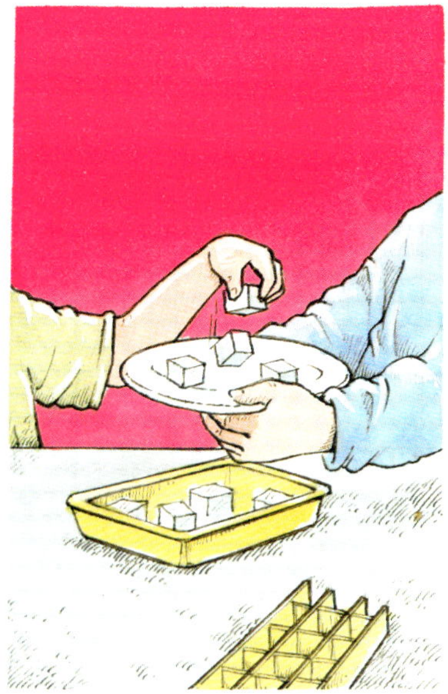

Peter legt Eiswürfel auf einen Teller.

Er stellt den Teller auf die Schüssel:

Der Wasserdampf trifft auf kühle Luft und bildet Wolken. Schau dir das im Dunkeln mit einer Lampe an!

VERSCHIEDENE NIEDERSCHLÄGE

Schnee im Winter, Hagel im Frühling, Regen und Nebel ...
Je nach Lufttemperatur haben die Wassertropfen eine andere Gestalt.

Im Innern der Wolke sind viele Tropfen dicht aneinander gedrängt. Sie werden so schwer, dass sie als Regen herunterfallen.

Ganz oben ist es sehr kalt. Die Tropfen gefrieren in der Wolke. Beim Herunterfallen schmelzen sie und gefrieren wieder zu kleinen Hagelkörnern.

SCHNEE

Die Wassertropfen gefrieren in der Wolke zu kleinen sternförmigen Eiskristallen. Beim Fallen kleben sie zu Schneeflocken zusammen.

NEBEL

Die warme und leichte Luft reichert sich mit kleinen Wassertropfen an. Wenn es am Abend abkühlt, werden die Tropfen größer und bilden Nebel.

REIF IM WINTER - TAU IM SOMMER

Manchmal bringt der Morgen Überraschungen mit sich: Im Gras sind kleine Tropfen oder alles ist mit einer weißen Schicht überzogen.

Am Tag sind winzige Tröpfchen in der Luft. Nachts kühlt die Luft ab und die Tropfen fallen auf den Boden. Das ist der Morgentau.

Im Winter kann der Tau gefrieren. Dann spricht man von Raureif. Alles sieht ganz weiß aus.

DIE WOLKEN

Du hast sicher schon verschiedene Wolkenformen am Himmel beobachtet. Wusstest du, dass jede Form ihren Namen hat?

Die Gewitterwolke bringt Regen.

Die hohe Federwolke kündigt schlechtes Wetter an.

Die Schäfchenwolke besteht aus vielen kleinen Wolken.

Die Haufenwolke ist eine Schönwetterwolke.

BRISE UND STURM

Der Wind kann leicht, aber auch sehr stark blasen. Deshalb hat er verschiedene Namen.

DIE BRISE
Die Brise ist ein leichter Wind. Gräser und Blätter bewegen sich nur ein wenig, das Meer ist ruhig.

DER STURM
Dieser Wind bläst sehr stark. Schau, wie das Gras, die Bäume und das Boot hin und her geschüttelt werden.

DER ORKAN

Der Orkan entwurzelt Bäume und reißt Hausdächer ab.
Er schleudert riesige Wellen als Sturmflut ans Land.

DER WIRBELSTURM

Achtung! Das ist ein sehr starker und schneller Wind, der alles wegreißt und zerstört!

VOR UND NACH DEM GEWITTER

Vergleiche die beiden Bilder und beschreibe, was sich nach dem Gewitter alles verändert hat.

DAS GEWITTER
Es ist sehr heiß. Es blitzt und donnert. Gleich werden dicke Regentropfen aus den großen schwarzen Wolken fallen.

DIE ÜBERSCHWEMMUNG
Es hat so stark geregnet, dass das Land überschwemmt ist. Siehst du den Regenbogen? Welche Farben hat er?

HEISSE LÄNDER - KALTE LÄNDER

Es gibt sehr unterschiedliche Klimazonen auf der Erde. In der Wüste brennt die Sonne, an den Polen ist es immer kalt.

Die Dromedare können sehr lange durch die Wüste laufen, ohne zu essen und zu trinken.

Am Südpol leben Pinguine. An beiden Polen ist es 6 Monate lang Nacht.

DIE VIER JAHRESZEITEN

Erzähle, was die Kinder machen und was sie anhaben.
Welches Bild zeigt welche Jahreszeit?

SOMMER

HERBST

WETTERVORHERSAGEN

Um das Wetter vorherzusagen haben Meteorologen verschiedene Instrumente. Kennst du sie?

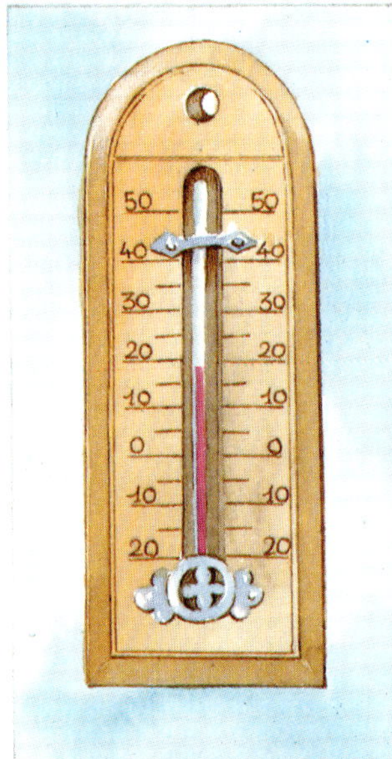

Wetterhahn und Windsack zeigen die Richtung an, aus der der Wind kommt. Das Thermometer zeigt die Temperatur an.

Das Barometer misst den Luftdruck und erlaubt Vorhersagen.

Satelliten liefern uns Bilder der Wolken.

WETTERBEOBACHTUNG

Wenn du die Natur genau beobachtest, kannst auch du das Wetter vorhersagen.

Roter Sonnenuntergang:
Wind kündigt sich an.

Ein Lichtring um den Mond:
Es wird regnen.

Die Schwalben fliegen tief:
Ein Gewitter zieht herauf.

Der Tannenzapfen öffnet sich:
Es wird sonnig.

DIE WETTERUHR

Hier ein weiterer Bastelvorschlag. Du brauchst buntes Tonpapier, eine Briefklammer und Klebstoff.

Aus dem Papier schneidest du einen großen Kreis aus.

Male Wettersymbole auf kleine Zettel.

Klebe diese auf den Kreis auf.

Schneide aus festem Karton einen Pfeil aus.

Befestige den Pfeil in der Mitte der Scheibe.

Jeden Morgen kannst du auf der Wetteruhr das Wetter einstellen.

DAS WASSER

DIE LANGE REISE DER WASSERTROPFEN

1. Bei der Schneeschmelze fließt das Wasser von Bergen und Gletschern.
2. Ein Gebirgsbach zieht sich durch die Berge.
3. Aus dem Bach wird ein Fluss.
4. Der Fluss gelangt in einen Strom.
5. An der Mündung fließt der Strom ins Meer.
6. Wassertropfen verdunsten und bilden Wolken.
7. Die Wolken treffen auf kalte Luft. Regen oder Schnee fällt und alles beginnt von neuem.

Wasser verdunstet über den Meeren viel stärker als über Flüssen, Wäldern oder Feldern.

DIE KRAFT DES WASSERS

Hast du schon gesehen, wie am Strand Sandburgen von den Wellen weggespült werden? Schau, welche Kraft das Wasser hat!

Die Wellen branden so stark gegen die Felsküste, dass im Laufe der Jahre große Felsbrocken abgetrennt werden.

Unterirdische Flüsse lassen Grotten entstehen.

Das Wasser gräbt sich durch das Gebirge und formt so Schluchten.

DAS PACKEIS: EINE GROSSE WASSERRESERVE

An den Polen ist das Meer zu Packeis gefroren. Würde es schmelzen, würde der Meeresspiegel ansteigen und alles überschwemmen.

DIE GEZEITEN

Sechs Stunden lang geht das Meer zurück. Das nennt man Ebbe. Im Watt kannst du dann Muscheln, Krebse und Algen finden.

Danach steigt das Meer sechs Stunden lang. Diesen Vorgang nennt man Flut. Beobachte, was sich am Strand alles verändert hat!

FEST - FLÜSSIG - VERDUNSTET

Wasser ist eine Flüssigkeit. Bei sinkender Temperatur gefriert es und wird fest. Wenn es warm wird, verdunstet das Wasser.

Fülle den Eiswürfelbereiter mit Wasser und stelle ihn ins Eisfach.

Das Wasser ist nun fest geworden und hat Würfelform.

Fülle einen Teller mit Wasser. Nach einigen Tagen ...

... ist der Teller leer: Das Wasser ist verdunstet.

LEBENSGRUNDLAGE WASSER

Was kann man mit Wasser machen? Wer braucht Wasser? Hast du auch an Pflanzen und Tiere gedacht?

Tiere trinken das Flusswasser.

Wir trinken Wasser, wenn wir Durst haben.

Wir brauchen Wasser, um uns zu waschen.

Ohne Wasser welken die Pflanzen und sterben.

Durch Staudämme nutzt man Wasser als Energiequelle.

Wasser dient in Atomkraftwerken als Kühlflüssigkeit.

Viele Tiere und Pflanzen leben im Wasser.

Wasser kann auch ein Verkehrsweg sein.

GEFAHREN FÜR DAS WASSER

Obwohl wir wissen, wie wertvoll Wasser ist, lassen wir viele Stoffe ins Wasser abfließen, die es verunreinigen und ungenießbar machen.

Manchmal pumpen Fabriken Giftstoffe ins Wasser.

Düngemittel verschmutzen das Grundwasser.

Wenn bei einem Unfall Erdöl ins Meer gelangt, sterben viele Fische und Vögel.

Waschmittel enthalten schädliche Stoffe, die das Wasser belasten.

LANDSCHAFTEN UND GESTEINE

VULKANAUSBRUCH

Dieser Feuer und Steine speiende Berg ist ein Vulkan. Ein glühender Lavastrom fließt seine Hänge hinab.

Dieser Vulkan im Meer wächst mit jedem Ausbruch.

Der Vulkan ragt aus dem Meer heraus: Eine Insel entsteht.

Der Krater dieses erloschenen Vulkans ist mit Wasser gefüllt.

Werden diese bewachsenen Vulkane noch einmal ausbrechen?

ALTE UND JUNGE GEBIRGE

Weißt du schon, dass gewaltige Stöße aus der Tiefe der Erde die jungen Gebirge weiter wachsen lassen?

Diese Berge sind mit ungefähr 4 Millionen Jahren noch jung. Sie haben spitze Gipfel und steile Wände.

Diese Berge sind viel älter. Frost, Wind und Regen haben die Gipfel abgerundet.

DIE MEERESKÜSTE

Während der Flut branden die Wellen gegen die Küste und formen so ihr Aussehen.

Der Wind hat Dünen gebildet, die die Wellen aufhalten.

Dieser Strand ist von einer hohen Steilküste umgeben.

Diese Steine wurden von den Wellen abgerundet.

Hier hat das Meer verschiedene Steine geformt.

DER MEERESGRUND

Schau dir die beiden Meereslandschaften an: Die eine befindet sich direkt unter der Wasseroberfläche, die andere liegt viel tiefer.

Einige Meter unter der Meeresoberfläche leben Algen und Fische im Sand und auf Felsen.

Tiefer unten ist es sehr dunkel. Seltsame Fische leben hier und man sieht riesige Gräben.

WASSER UND WIND FORMEN DAS GESTEIN

Wasser gräbt sich in den Boden. Der Wind weht Staub heran, der die Felswände formt. So ändert sich die Landschaft ständig.

Vor langer Zeit hat ein Fluss diese Schlucht mit ihren steilen Felswänden gegraben. Man nennt sie Canyon.

Welch seltsame Landschaft! Wasser hat das weiche Gestein abgeschliffen, nur das harte blieb stehen. So entstanden diese Erdpyramiden.

FLACHLAND UND HOCHLAND

Flach- und Hochland sind weit ausgedehnte, ebene Landstreifen.
Hier betreiben Menschen Ackerbau und Viehzucht.

Das ist Flachland. Flüsse haben sich nur wenig in die Erde gegraben.

Hochland findet man weit oben. Es ist von tiefen Tälern umgeben.

SANDDÜNEN

Hast du am Meer schon einmal Dünen gesehen? In der Wüste sind sie noch viel höher, so hoch wie richtige Berge!

In der Wüste nimmt der Wind Sand auf. Stößt er auf ein Hindernis, wie z. B. einen Felsen, lädt er den Sand ab.

Nach und nach bildet sich eine neue Düne. Sie wird immer größer werden, bis der Wind sie wieder wegweht.

STEINE SIND NÜTZLICH

Kennst du die Namen dieser Steine? Schau sie dir genau an, vielleicht hast du sie schon gesehen oder sogar benutzt.

Granit funkelt in der Sonne. Man nimmt ihn zum Häuserbau.

Schiefer, ein graublauer Stein, bedeckt manchmal die Dächer.

Bimsstein kann schwimmen ... und sauber machen.

Marmor kann geschliffen und behauen werden.

SCHMUCKSTEINE

Diese Steine wurden aus der Erde geholt und dann geschliffen, damit sie glänzen. Ein schöner Schmuck!

Saphir

Smaragd

Rubin

Diamant

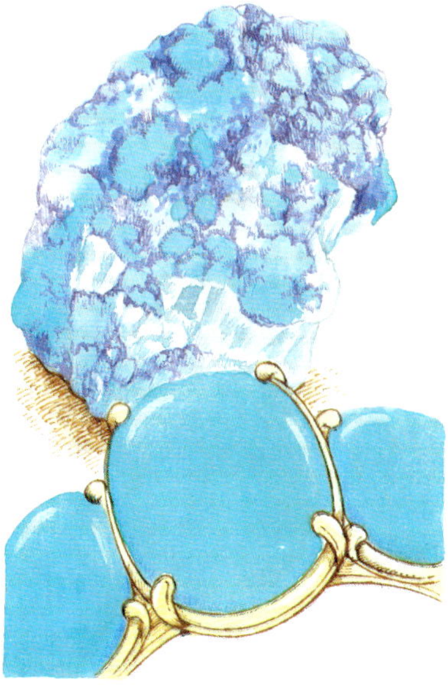

Türkis

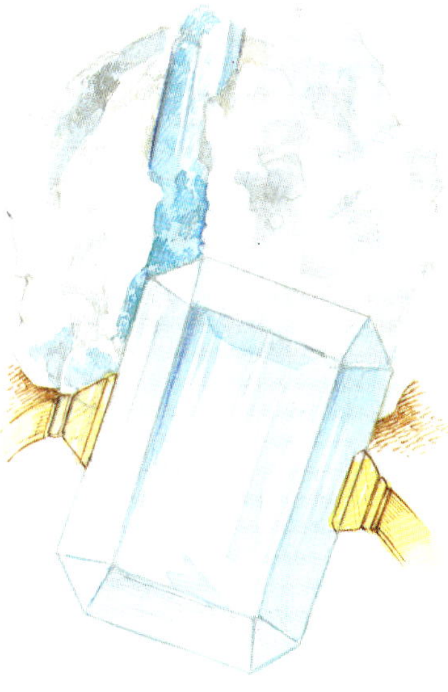

Aquamarin

WIE KOHLE ENTSTEHT

Früher beheizte man Häuser, indem man in einem Ofen ein schwarzes Gestein, die Kohle, verbrannte.

Vor Millionen Jahren bedeckte Wasser die Wälder.

Zweige und Blätter verfaulten und wurden zu Torf.

Unter dem Druck der Gesteinsmassen wurde aus Torf Kohle.

Heute baut man Kohle in Minen ab.

WIE ERDÖL ENTSTEHT

Erdöl wird auch Steinöl genannt. Seine Geschichte reicht Millionen Jahre zurück.

Kleine tote Tiere verwesten unter Wasser.

Mit Sand vermischt bildeten sie eine Art Schlamm.

Der Schlamm verwandelte sich in Erdöl und durchtränkte das Gestein.